詩誌 天窓

01

主題

するする降りてくるわけではないが、
天窓だけが、おれの希望で、
そうやって生きながらかえている、ひとりの、ひと。
　生息しているので、
　息はしている。
よって考えることは考え、思うことは思うことをしている。

——S氏の詩手帳から

目次

詩と作品

連載

散文と抄録

時の連作　①　プロローグ

長谷川美緒

その国には、時計がなかった。

人びとは、時を、空気のように呼吸して暮らしていた。一度に吸い込む空気の量や呼吸の間隔が一定ではないように、時間もまた、せわしなく駆け足で進んだり、深くゆったりと流れたり、そのときどきの体調や気分によって変化するために、単位を決めて計ることができなかったのだ。

国土はゆるやかな楕円形で、堅牢な城壁がまわりをすきまなく囲んでいた。

城壁の外に出ようとする者はおらず、そもそも外に何があるのか知っている者も、そのことに興味を持つ者もいなかった。国には何でもそろっていた。山も湖も、畑も牧場も、街も草原も、広大な砂漠も、そこに点在するオアシスも。国の中央には高く美しい塔が一本まっすぐにそびえており、王と王妃がいるらしいという噂だけが、誰が言い出したのだったか誰にももう分からなくなってしまった伝承として、人びとの間に流布していた。

人びとは、城壁のなかにまるく緊密に満ちている時をめいめいのリズムで体に取り込み、生活を営んでいた。彼らが互いの姿を認識できるのは、そのリズムがふと合う瞬間だけだった。家族とも友人とも同僚とも、姿が見える瞬間をつかまえて、人びとは言葉を交わし、用向きを済ませ、冗談を言いあい、やがてまた個々の時間のなかへ戻っていく。この国ではどこへ行っても、自分以外の人びとの姿はどれもちらちらと見え隠れする影のように映った。それはたとえば、前を向いて同じ道を走るランナーどうしが、追い越しまた追い越される瞬間にだけ、横に並ぶ相手の姿を視野に入れて確認することに似ていた。

ごくたまに、呼吸の間隔と長さがぴったり合って、長いあいだ姿の消えない相手に出会うと、彼らはどちらからともなくおずおずと、まず互いの手の甲に触れた。次いで手首に、前腕に、二の腕に、肩にと順繰りに触れていき、それから初めて相手の顔を見る。時は二人のあいだで、凪の海のように、あるいは乗る者がいなくなったあともしばらく揺れているぶらんこのように、周期をまもってやさしく揺れた。いったん手をつないでしまうと、たいていは夜のとばりがおりても、朝日が昇ってきても、それが幾度か繰り返されてもなお二人は互いに見つめあっていられた。二人は街を歩き、喫茶店や図書館へ出かけ、公園のベンチに座り、ともに時を過ごした。そして、ひとりでいるときに自分が見たものや訪れた場所、考えたことについて、相手に話して聞かせた。

同じ時のリズムのなかで笑いあうことの喜びを知ったあとでは、彼らは、いつまでもそうしていられるように、いっとう明るい星の光に祈った。この国では、何であれ変わらないものは人びとの祈りの対象になる。しばらくすれば二人のリズムはまた、二艘の舟が針路や速度を違えるようにゆっくりとずれていくこと、そうなってしまえば、たまに互いの姿を認識するだけのあの孤独な生活が再び訪れること。それらを承知していながらも、彼らは祈ることをやめなかった。祈っているあいだだけは自由で、永遠だった。

太陽も月も星も、伸び縮みする地上の時など意に介さないかのように、一定の間隔で昇ってきては空をめぐり、沈んでいくことを繰り返した。地上では何もかもが不安定に揺らめき、すっきりと平和が保たれていた。人びとは基本的に沈黙を好み、ひとりの部屋を持っていた。言葉は特別な時にだけ使われる希少なもので、大切にされた。

あるとき何の前触れもなく、国を囲む城壁の一部が決壊した。その国には時計がなかったので、いったい何年の何月何日だったのか、時刻は何時頃だったのか、――今から何年前の出来事だったのか、そういったことは何も分かっていない。隣国の軍隊が攻め込んできたらしい、ということだけが、ある物語作者の手によって書き留められている。隣国はおろか外の世界を知らずにそれまで暮らしてきた人びとは、抵抗もせずに捕虜となった。城壁の中に満ちていた時は流れ出した。野山を、海を、砂漠を、都市を、空を流れた。外に連れ出された人びとのうちある者は、流れる時の勢いに負けて体調を崩した。ある者はまた、水を得た魚のように溌剌として余生をおくった。

壊れた楕円形の内側は廃墟となり、もう誰もいない。あらゆるものが持っていかれたあとだった。塔だけが残った。王と王妃は、国がなくなるその時にもついに姿を見せなかった。

詩二編

南田偵一（なんだていいち）

リンゴの美徳

莉子ちゃんがなあ
給食で食うたリンゴがしょっぱかったゆうねん
ボウルん塩入れて漬けとくとなあ
黄色ならんねん
なんか海ぃ行きとうなる
ゆうねんあの子

弘前行ったときんなあ
ホームの売店で冷凍リンゴ売っておって
十切れ入りの買うたんよ

車内で食うとったら
向かいの女の子がもの欲しそうに見とるん
一個あげよ思ったんやけど
きっと地元の子やから
いつでも食える
こっちは旅人やから滅多に食えん思うてやめたった

川島センセちゅうのが小学校んときおって
リンゴが嫌いゆう
なんや齧るんときの音が嫌やねんて
ゴリっとするんが
背筋に寒気ぇ走るゆうて
リンゴの醍醐味ゆうたら

あん音なのにもったいないなあ

魔女はなんで白雪姫にリンゴあげたんやろか
桃とかマンゴーでもええやろって
莉子ちゃん聞いてくるんよ
魔女も節約せなあかんし
桃やマンゴーなんて高うて買えん
そんに毒入れたらバレるやろ
皮むかなあかんし
リンゴは皮んまま食える
毒入ってたか知らんけど
白雪姫食うたのは
黄色なっておらん新鮮なリンゴやったんやろなあ

苦かったろうけどしょっぱくはなかったやろ

見てみて、聞いてきいて、だまってて

ジャングルジムを拵える。一本の棒を一日八時間、どう土に差し込むのか。そうゆう暮らしができたなら。

頭をぶつけた瞬間、
ホチキスを人差し指に刺した瞬間、
オレンジジュースの氷を飲み込んだ瞬間、
誰にも秘密にしておこう。
トイレに駆け込んで、施錠の音が
いつもよりひんやりしていた。

目の前に横棒があると
つい潜りたくなる習性を
押し留めるよう、何本も何本も
ゴールテープのように敷き詰めた
透明度の高い、子豚の四男坊と呼ばれる家を建てた心地
号外でも出そうか
いえ、通信として週に決まった曜日
木曜がいいでしょう
登山は、七合から見える景色が一番綺麗と言うでしょ
まだ心も身体も快適だからですよ

土の道を、とんと見なくなった
ちゃぶ台をひっくり返すギネスチャレンジを申請しよう

白いスニーカーは灰色に染まり
茶色を久しく忘れてる
試しに他人の庭先に
百円ショップで買った
朝顔の蔓専用の棒きれを挿してみた
あみだくじは平面だからワクワクしないと言いましたね
また明日、
今度は五百円玉を持って店に行ってくる
学校の先生か何かですか
いい具合に成長しているんですね
明日発注増やしておきますよ
店員さんは
夜だというのに、まだ一食しか食べていないというジャングルジムは未踏でないと成り立たない。入り込めたら、名折れですから。ああでもない、こうでもない。目も当てられぬ、行き先に、当てなどあってたまるものですか。

環七水族館

千住旭

環七水族館

ガラスの向こうは魚影の群(むれ)
回游と停止を繰り返す

一方で
ガラスのこちら側は
あまりにも憩っている
深い呼吸を気づかぬほどに

熟年の革椅子に身体を預ければ
立ち昇る一日の終息

詰まるところこれで良いと
ただひたすらに思わされる

たぶんこれから
夢を見る
誰のためでもない
うたかたの旅に出る

紅く燃えながら
刹那に生きる鋼鉄の魚たちは
我々を観るだろうか
あまり動かないな　と
鑑賞するだろうか

一切の批評は任せよう

ガラスのこちら側は
あまりにも憩っている

高円寺・ｓａｕｎａサンデッキの休憩室にて

ラッセル人間　他二編

山上泰輝

ラッセル人間

流れゆく雲を見上げると、ちょうど、甲府駅を通過するところだった。
上諏訪駅を目指し、新宿駅から約一時間。
湖を眺めに行こうと思い、諏訪湖まで向かう。
季節は八月を少し過ぎ、空に雲は一つもない。
特急列車に揺られる旅行こそ、通り過ぎる地域の生活が垣間見えるような気がする。
車窓から見える家の屋根の色彩に気を取られる。
窓に反射する自分と目が合う。
瞳の奥で自分の目が瞑る。
今日の行き先に心を踊らせる。
新幹線より速度が遅い分、特急列車は時間を贅沢に使っている感覚になる。

外の世界は飽きることを知らず、人々は一日を過ごしている。
気分転換も兼ねて、外を見る。
今日は村上春樹の「スプートニクの恋人」を読んでいる。
いつも旅行には文庫本を持っていく。
特急列車に乗るから本を読むのか、
本を読むために特急列車に乗るのか、
自分はやや後者の考えが強いが、本を読む環境を変えるのも大事だと感じている。
とにかく、本を読む理由が欲しいだけなのかもしれない。
　上諏訪駅に着くとまずは、駅前の喫茶店に入る。
珈琲と軽食を注文する。
店内は自分一人なのに安心する。
また、マスターが新聞を読んでいる。
こういう喫茶店がたまらなく好きになる。

店内に流れている音楽が、一瞬止まる。

ここにはもともと、喫茶店など存在していなかったような、そんな、暗くて、大きくて、
外の世界と遮断されているような感覚に陥いる静けさを感じる。

音楽が自分と外の世界を繋ぎ止めていたのかもしれないと、気付かされる。

現実世界と精神世界の壁を喫茶店の入り口を隔て、分離されている。

外の世界で蝉が鳴いている。

車のエンジンが窓を揺らす。

縁が厚いマグでコーヒーを一口飲む。

新聞を折りたたむ音が聞こえた時、マスターが徐にレコードを選び始める。

このお店はレコードで音楽を流していたことに気付く。

音楽が再び、店内を賑わせ、自分を現実世界に引き戻す。

外の世界の蝉が消える。

エンジンの音は煙だけを見せて、過ぎ去っていく。

諏訪湖のそばで、ベンチに腰掛ける。

ベンチがある町は大好きだ。ベンチがなくとも、階段や、噴水、とにかく座れる場所が欲しいだけなのだ。

自分のことを知らない町にくると、ここにも人生があったんだなあと思う。

ベンチに腰掛け、町の音に耳を澄ませ、町の一部に馴染むような感覚が隋を通して感じられる。

この時の感覚を求めて、日々を東京で過ごしているのかもしれない。

東京は少し、大都会すぎるのかもしれない。

そこにはベンチがあり、湖があり、自然があり、深い静寂がある。

地球の周りの軌道をひたすらに回るスプートニクのラッセル犬のように、

自分もまた、人間社会の外側を回る、一人の人間なのかもしれない。

一駅歩く

一駅歩いて次の駅から乗る。
ふと、そんな事をしたくなる時はないだろうか。
私には月に一度くらいそれが、訪れる。
雨の日なのか、晴れの日なのか、
聴いている音楽が耳に合うときなのか。
それは分からないが、なぜだかその時の気分で、もう少しだけ歩きたくなる。
東京に来て、一年と半月。
テレビからの情報や、ネットからの情報が多くなる一方、
実際に街を歩き、町の匂いや雰囲気を肌で感じたくなる。
すれ違う人は皆、世間からの目を気にしてないようにも見える。

音楽を口ずさみながら帰る学生や、自転車に乗るお母さんは明日のことくらいしか考えてないようにも見える。

定期的にそのような現実に生きている人とすれ違わないと、私が疲れるのかもしれない。

SNSが全てではないと、分かっていながらも、
SNSの華やかな生活を垣間見るのに疲れるときがある。

みんな、生きている。実際に、現実世界で。

一駅次の駅から乗車すると、普段と違う景色が見える。

コンビニも居酒屋も、人も。

ここで生活している人がいる。

生活をしていれば、交わることのない人たちとすれ違い、
生きてきた環境も経験も価値観も、何もかもが違う人がいる。
自分の世界の小ささを知る。

と同時に、この瞬間がたまらなく好きになる。

箱

新宿の喫茶店で、安部公房の「壁」を読んでいる。読書歴の浅い僕にはまだ早い一冊かもしれない。ただ、「砂の女」「箱男」「人間そっくり」を読了し、どこからか対安部公房への自信が湧き溢れ、遂に「壁」への挑戦権を手にしたと思っていた。しかし、「Sカルマ氏の犯罪」から、正直言って、全く分からない。やっぱり僕にはまだ早かったか。そう思いながら、煙草に手が伸びる。いわゆる、何が分からないか分からないという状態に陥っている。だか、僕は約束の時間までまだ一時間以上あったので、そう簡単に、読書を諦めることをできない。あいにく、今回は「壁」の一冊しか持ち歩いていないため、否が応でもこの一冊しか活字に触れられないのだ。もう一度もう一度、と本を開いてみるが、やはり、三から四行くらい読むと、集中力が切れる。いや、これは約束の時間に女の子と会うから緊張してるだけで、集中力が持ってないだけかもしれない。そう言い聞かせてみるが、本当にそれだけなのだろうか。他の作家ならスラスラと読めたか、そう聞かれるとスラスラと読める。と胸を張って答えれる気がする。安部公房の「壁」を読了する壁は本当に高く感じた。半ば、読書を諦めかけている時、隣に座っている男性が原稿を校正しているような動作が目に入る。新宿の喫茶店はとても煙たく三十分もいれば、髪の毛からつま先まで、煙草の匂いが染み込むようなところだ。また、僕の印象だが、ミュージシャンや古着屋の店員、少し悪そうな雰囲気を持ったお客さんの出入りをよく見る、しかし、隣の男性はそのような悪そうな印象を特に受けない。俳優か何かの仕事だろうと思いながら、約束の時間が近づいてきたので、重たい文庫本をポケットに入れ、席を立つ。そして、お会計を済まし、振り返ると、そこには先ほど原稿を校正しているように見えた男性が立っていた。

「物書きの方ですか?」

え？　突然のことに言葉が詰まる。

「本に興味がありますか?」

確か、そのような類いの質問をされたような記憶がある。あまりにも突然の事だったので、僕も明確には覚えていない。

「私、出版社の者でして、物書きに興味はありますか？」

「え、あ、はい。書いたことはないですけど、書いてみたいな、とも、思います。」

僕はそんなしどろもどろに返答をした記憶もある。なぜ、出版社の方が僕に声をかけたのだろう。不思議に思う点はあったが、内心、面白そうだな、話だけでも聞いてみようとなったのは本当だ。そこで、その男性はカバンや服のポケットから何かを探している様子だった。

「今日は休みで、名刺を持ち合わせていなく、よかったらこの電話番号を。

興味があれば、連絡をしてください。」

そう言われて、差し出されたのは、しおりの端っこに小さく描かれた、男性の電話番号だった。なんて面白いんだろう。いや、かっこいいとまで思った。名刺を持ち合わせていないからといって、しおりに電話番号を書くセンスに僕は彼は悪い人じゃないという、謎の安堵感を見出し、実際に電話をしてみた。不思議なもので、翌日、彼は僕の最寄りの駅の喫茶店にいるということで、詳しく話を聞く機会を設けてくれた。話を聞いてみると、彼は落語家で、出版の業務も兼ねているということだったが、僕が執筆に携われる機会があるということで、雑誌を共同で作ろうという話を持ち出してくれた。実際には、二人だけではなく、彼が声をかけたメンバーが数人集まり、一冊の本を作るというものだった。とても興味深いので僕も参加させて欲しいという旨を伝える。そうして今回、僕は初めて紙媒体に自分の書いた文書が掲載される経験をすることになった。彼にどうして僕に声をかけてくれたのか、という問いをしたところ、

「僕も若い頃に壁を、読んでいた時があって、少しも分からなかったけど、読もうという行為がよかったよ。これがもし、安部公房の他の作品なら声をかけていなかったかもしれない。」

僕はこの回答に少しだけ微笑み、不思議な気持ちに包まれた。ご縁とは不思議なもので、どんなところから繋がるか分からないのが面白い。これからは難しそうな本をできるだけ持ち歩こうと思う。

若書きの詩から　大岡和摩

雪花

暗い道。鋭いライトが、散らばる結晶を照射する。
フロントガラスに舞う吹雪が、ワイパーにさらわれる。
小刻みに揺れる車内でアクセルを踏み、消えゆく雪の中へハンドルを切る。
ステレオはピントの合わないノイズを吐き出す。

全ての象徴が、身を切る夜陰に嗚咽をあげて走りぬく。
死に急ぐことはない。
生き急ぐこともない。

春なんて気分次第。
隣接している。生と死は。

凍てつく湖上。スッと降り立つ一羽の鶴に、不安の投影は不可能だった。
探し求めていたものは、明日には忘れている。
忘れたいものは忘れられないもの。
忘れるために生きていく姿を肯定してくれるのは、そんな鶴。

両足でアクセルブレーキ踏んで窓の外を見る。煩わしいもの全て、宇宙の対頂角ごと、真っ
逆さまに全て、全て綺麗に消えていた。

周波数が合う。

ラジオDJの声がする。
人が笑って、泣いていた。

環状線

後ろに過ぎていく景色に、取り返しのつかない思いを残し、揺れが止まる。

破れた足で歩く群衆の音など。

野に舞う蝶々は、確かな道を羽ばたく。


光を浴びた雲の上には、無数の追悼が漂い続ける。

名も知れない少年が、視界に影を落とし、意図した涙の虚しさに、涙ながらに後悔する。

アナウンスされた時刻通り、人は足を踏み外す。

言葉のエコーが輪廻をはかなげに促す。

外れることのない振動が、私の鼓動であればいいのに。

道

どこへ行っても人の道
獣道などいずこにありや
どこへ行っても人の道
心のたるんだ雨も降る

どこへ行っても人の道
目鼻口耳風が吹く
どこへ行っても人の道
旅人果てる痩せた宿

野良猫の笑顔を思う時
路地裏の草が薫る
やにわに立ちこむあたたかく
嗅いだその夜電飾燈る

どこに向かうか人の道
面影は面影として影法師
どこに向かうか人の道
散り際咲いた三面鏡

幽霊（天使）の主題による変奏曲　他

齋藤圭介

幽霊（天使）の主題による変奏曲

韃靼(だったん)の夢

腐葉土の青色の死が、余所(よそ)行きの繁縷(はこべ)の色を燻らせていた
（いま、つながった縄目が、かみあった時間をぬって、いま）
躑躅(つつじ)を燃やしながら投げ入れよ
染めよ人生を、群れながら夢みよ

部屋

死んでいる、
ひとつの部屋が、
見ている、おれが、
見られている。

（そしてだれかに許してくださいとねがいつづけながら）

今日も眠りつづける。

感想

がちゃがちゃと音を立てておれは生きてきた
それは決して安穏でも剣呑でもなかった

（人間はこんな顔だったろうか）

おれはまた今日も安い珈琲を飲む
じゅうぶんである

映像のコラール

粉々になっているのはなんだっけね
ひとの血になるために

（だらしない笑いを求む
　だらしない笑いを求む）

今日も、映像盤はわれわれのものですよ
まあ、さながら、それは救いですよ

人間の朝

朝や昼やに
白や黒やの液体を流し込み
おまけにお前はその足で
いったい何処に行こうというのか

今日も目覚めなければならなかった
ぬぐいきれない人間というものに
それでもお前は向かっていくのか
もう取り返しもつかいないことと
心底知っていながらに

無数のお前たちの集合体の只中に
お前たちの灰色のふるさとの中に
お前は今日も歩いていくのか

経験者

自分の顔が
自分じゃないような顔になったら
ひとつの、おしまいである

たとえば鉄道車両のガラス窓に映る顔が
他人のようだと思われる
そうなったんじゃあ、もうおしまいである

お前はこれからそのうすぼんやりの先に歩いていく

幽霊の輪唱(カノン)

目玉がびろんと伸びていて、それが床まで届いていて、
髪の毛もぼさぼさで垂れ下がっていて、下顎さえもぶら下がって舌もだらしなく出ていて、
腰なんて直角に曲がっているようで、ぜえぜえと息しながら生きながらえている。

それが近頃のおれという生き物で、今日も今日とて地下鉄の駅階段をそれらを引きずりながら歩いている。

朝寝る前も、夜起きる時も、死という字が常に浮かび上がってきていて、死なないくせにそれが毎日続くもんだから、とりあえずは生きてみるという算段で、それがつらくてつらくて、

いっそばけものだと指さされた方が楽なのではなかろうかと思ってみたりしている。

おれは生きているし、周りもまあまあ生きている。それら集合体がこれら醜悪の複合体で、おれはおれだけではないのだし、そうして生きながらえてみることで同等の全体なのである。

おまえの周りにはおれのこういう醜悪が纏っているし、こんなおれの醜悪だって全体のおまえの一部なのだ。だからこそ生きてみるのだし、だからこそどうしても歩いていくのだ。

だからこそ美しいのだろうが、そうとはまだ、到底言いきれないのである。

ぬめらっこい

ぬめらっこいのです、人間は
ぬめらっこい、ぬめらっこい
（そんな、言葉なんざ、ありゃしまい）

けれどもぬめらっこいのです、人間は
そうは言っても、それは確かなのです
（こればっかりはどうしても避けられんのです）

いやになります

このような救い

ケケ
（自分自身に）
それは夜中に
（哄笑とも名づけたくないものです）
そうそう
へへ

クク
へへ

そうなんやい
へへ

そうそう
そういう奴だった
そうだったっけね

これで暗闇に詩を書いたつもりかね
へへ

笑えて、くるね

ケケ

（だってさ）

これでなんとかなっているつもりなんだってね

フフ

質疑

ぼろぼろですか。
——はい、ぼろぼろです。
へろへろですか。
——はい、へろへろです。
死んでしまおうと思ってますか。
——はい、そう思うこともあります。
それでも緑の山並みがまだ人生の突き当りにあるような気もしますから、
まだまだ生きてみようとも思っています。

洗濯まで

夕方
もうすっかりと寝すぎてしまって
ベランダで
傾いた電信柱の影が
くっきりの向かいの白壁に落ち込む頃
おれは企てている
一冊の詩集を
それがいつか、現れ出ることを
いまにして白々と、そして黒々と
その正体の一部分でも救われることを

夕方
もうすっかりと寝すぎてしまって
ベランダで
いつもの郵便局員が、目の前の大家の家に
封書や葉書や小荷物を届けに来る頃
おれは企てている
空を渉ってゆく、声明を
自分自身に頼り甲斐のある、信心を
海を越えても成立する交信さえも叶うような
一冊の詩集を
そして、仕事を

夕方
もうすっかりと寝すぎてしまって
ベランダで
行方不明の町内放送が、どこからともなく
幾重にもこだまして響いてまた消える頃
おれは企てている
洗濯を、事務を、そしてこれからを
貧しい煙草を一本だけ演出して
おれは生きていく
恥をかきながらも
仮寓の在所を探し続ける

向こうには鉄塔が日を浴びて巨立している
こちらでは電線が小さく北風に揺れている
おれはまた企てる
そのようにして在り続けることを

夢と蜂蜜と叙情詩

夢　i

死という字が飛んできて、
白い歯をみせて、笑った

蜂蜜　i

それは輝きながら引きのばされた幻

夢 ii

ああ、死だ
またお前だ

（いちめん生えきった緑色の草原のただなかに）

ああ、死だ、それは、おれだ
またお前だ

蜂蜜 ii

独逸語の詩と詩人と
詩人ではない日本人と
いま一斉に放たれた
蜂使いの蜜蜂たちと言葉と

夢 iii

氷水のように冷たい海に消えてゆく女性の白い裾
浜辺には、緑の火を焚くひと

叙情詩　i

琥珀色に透かしながらそれはひとくちの
——朝やけ

蜂蜜　iii

働き蜂たちは働き
働き蜂以外の蜂たちは
それ以外の働きで働き
働かざる蜂たちは
ただただ甘い蜜を吸い

夢　iv

地平のない世界で、
花を摘んでいた

この町には夕方しかないのであった
気がつくとちょうどカメラ屋の前であった

叙情詩　ii

信じてみたいのである
ふと、あらわれ出たような言葉を

夢 V

主人のお屋敷まで行かなければならなかった
郊外の地下鉄出口を出ると、大きなアルファベット、
それも錆びついていた

黒い紳士とすれ違った
杖をつき、犬を連れていた
その尨毛の犬の毛の様子まで覚えている

最期の音楽

引き伸ばされた真綿の繊維が、
暗闇の中で、ひとつの、
白色電灯の光を浴びながら、

引き裂かれて行く、音、
もしくは、声のようなものが
纏わり付いている瞼の、
時間よ

苦しみながら、眠ろうとしている
それでも愉悦を、
噛み締めようとしているのか、おれは、
暗闇ひとつの無音の中で、いま、
この期に及んで

（〜変奏曲　終）

朗読のための朝

朝。
どうしてわたしはもう少し早く、この神妙に、気がつかなかったのだろう。どうしてこの
何侵食なき神聖な時を、やすやすと寝過ごしていたのだろう。

朝、それは、
透明な薪を、いくらくべても足りない、けむりのない、森である。

まるで朝はその透明な灰を、
惜しげもなく踏みつけているようである。

朝は、帽子を目深にかぶった、
うすいろの服を着た、おもかげである。

朝はまた教育者である。
終わりがあることを、教えてくれるのは朝である。

朝は、
いま、世界で、ささげられている、すべてお祈りの、成果である。その声はすべて、やがてひとつの単純な、ひかりとなって現れる。

朝はまた朗読のためにある。
ひとつひとつの言葉は、ひとつ、ひとつ、おのずから区切られることになる。

朝は詩人のためにあるのではない。詩人というものが、朝というものの渙発で敬虔な使者であるに過ぎない。詩人はみな知っているだろう。いくら言葉を尽くしても、朝というこのひとことにかなうような表現は、ないということを。

言葉を並べるのは、
まるで真綿の梯子段のようなものにすがることであることに、過ぎないということを。

Tennmado

連載

詩人と打ち合わせは可能か

天窓という詩の場所に誘われて、詩を書けるわけでもない自分が自分の専門性の中に詩はあるかしらと自省して、身勝手にもこれは詩なのではないかと考えている行為を取り出した。何か間違いが起きることに期待して、架空の演出家を架空の空間に現して動かしてみる。本当は僕だって詩人になりたかったと思っている。

黒田瑞仁（舞台演出家）

A

舞台上が広く照らし出されると白くてかりのある床が広がる。街道に面した小綺麗なカフェのようにも見えるが、二人分にはやや狭いガラスのテーブルが一つと金属製の椅子二脚、床置きの観葉植物があるのみ。上から淡い橙色のかさのついた室内照明が下がっている。テーブルにはコーヒーカップ、メモ帳、ペン。環境音はしないが、時たま外から街の音が聞こえてくる。その中をシャツの裾を出しっぱなしにした演出家を名乗る一人の人物がゆっくりと、しかし落ち着きなく歩き回っている。この演出家が舞台上に現れる唯一の登場人物である。

B

午前中のような爽やかな光が差し込んでいる。演出家は半分は客席にいる誰かに語りかけるように、半分は自分に言い聞かせるように、語りはじめる。

演出家　なんでもいいんですけど、これは僕のやり方だし特殊なんだと思います。でも作品を作るということを考えると、それから変に相手を縛らないことを考えると、言葉を見つけるのが目標です。合言葉というか、相手との間でしか通用しない標語というか。でも説明的な言葉じゃないです。最初はありきたりな言葉でも、二人の間にしか存在しない言葉にしていく。だから他の人に教えるとか説明とかじゃない。お客さんなんか作品を見てもらえばいいし、この言葉を教えてもかえって混乱させるだけだと思う。説明だってもちろん必要なんですけど、美術館とかで作品よりも説明を読みにきてるんじゃないかって人いますよね。絵の横のキャプションで人の列が詰まってる。まあこの言葉も本当は言葉じゃなくても、一つの共通の何かが見つかればいいんですけど。最初はなんでもいいので言葉を見つけたら、ブレストみたいなことをして辞書にのってない意味もわざと持たせて膨らませる。そんな意味、その言葉にないだろってところまで。でもそこまで行けたら、作り始められるし、作ってる途中に迷ったらその言葉に戻ってこられるので。だから実際的な事情を持ち込む前に、言葉を一言見つけておくのが大事です。見つかってその言葉からイメージが育てば、もうできたようなものというか、相手に任せるだけです。僕は。演出家なので何もしません。演出家って何もしないんですよね。いざという時に文句を言うだけというか、それだと流石にあんまりなので、それだけにならないために言葉を見つけるんですけど、一緒に作品作ってるとか言いながらノコギリもミシンも使わないし使えないし、首から上があればできる仕事です。舞台上でセリフ言わないし戯曲も書かない。あ、これは戯曲じゃないですよ。でもその共通の言葉があれば何か逸れて行きそうになった時、「それってあの言葉と違ってきてませんか」というツッコミができるし相手もああ、「そうだったかも」って。そうじゃないとフェアなツッコミにならないというか。振り回してるだけっぽくなる。最初に言葉を見つけて、それを特殊用語化できていれば、それが共通言語になってるんですよね。僕とやるのが初めての相手でも。

間。床に落ちた光を見る。我にかえって。

演出家　相手が演劇初めてでも、なんだっけ。そー慣れてる相手でも本当は毎回の作品で3回は打ち合わせはしたいんですよね。1回目は近況報告とか作品全体で何がしたいかをバーっと話して、それを受けて相手が反応してくれて「言葉」が見つけられれば御の字。無理でも候補出す。2回目は1回目でそこまでいかなくても「言葉」は見つけたいですね。それから特殊用語化していく。それが「愛」みたいな、本当はそういう普遍すぎる言葉は避けたほうがいいんですけど、でも愛でもどういう愛ですか。親子愛じゃなくて、むしろ子供が持ってるダンゴムシへの愛なんです。みたいなことです。でも子供はダンゴムシを愛してるとしても、ダンゴムシはこっちを愛してるんだろうか。僕はきっと愛してないだろうなと思って言うんですけど、相手はいや、「ダンゴムシはダンゴムシなりに、世界を愛してるんじゃないか。」「なるほどそれが丸まるってことなのかもしれませんね。」みたいな意味わからないことをお互い言うので、そうすると「愛」が二人の特殊用語になっていく。でも意味わからないことをお互い言えるためには、相手をそれなりに信用してないといけないので、初めてやる相手だとそのためにゼロ回目の打ち合わせとかをなるべくして一緒に妄想しておきます。でもそんな感じです。本当は「愛」は教義的というかタダシイ価値観が入り込みやすい危ない言葉なので、もっと作品っぽくない意外な言葉のほうがいいんですけど。だからその時点で「愛」じゃなくて「ダンゴムシ」とか「丸」に切り替えてもいいですね。言葉が見つかったら、それをもとに3回目は具体的な形を提案してもらう。相手に持ってきてもらいます。例えば相手が衣装家だったら「丸」とか「ダンゴムシ」をもとに衣装のドローイングを早くて2回目ですけど、

3回目の打ち合わせで見せてもらう。もちろん、「丸」だから丸いシルエットとかダンゴムシ色だとか、そういうのじゃないんですけど。他の分野の表現を持ってる人たちなので、大抵そうはならないんですけど。それなら僕が最初から「ダンゴムシっぽい衣装を作ってください。」と言えばいいだけですね。言うことを聞いてくれない人とやりたいので。むしろそれは舞台衣装家が得意なことです。舞台ナントカ家みたいな人たちは、自分の持っている技術を駆使して、舞台の常識に則って作ってくれる人たちなので。そういう人たちと作るときはむしろ。

ト、言いながらコーヒーカップを持ち上げて少し飲む。落ち着かない様子で手を動かしているが、ぐっとこらえる。

C

演出家　違うジャンルの人たちと作ることが多いので。だから最初は共通言語なんかないし、相手を演劇の人間にしていくつもりもないので、いつまでも共通言語なんかできなかったとしても構わないんです。相手には自分にない技術を求めているというより、自分にない発想を求めているので。でも全く話が通じないとか、作品とリンクが見つけられないものが出てきてしまうとお互い報われないし一緒にできないので、一つの言葉というか単語とか短いフレーズでもいいんですけど共通のものとして持っておきます。わかりやすく言うと僕と相手をくっつける「のり」みたいなことかもしれないんですけど、「のり」だと直接くっついちゃうのでちょっと違うな。僕の中では湯川秀樹が考えてた「中間子」みたいなものだと思ってるんですけど、それはいいとして。これって詩なんじゃないかと思うんですよね。一言だけの。お腹すいたな。相手と自分の間に一言だけの詩を見つけて、それを自分と相手とか、作品て全体とその人が担当してくれる部分をつないでおく石にしておくんです。

そう言いながら、後ずさって、目の前の何もない床にソフトボール大のものを見出す。

演出家　僕が演劇で、相手が服飾とか、絵画とか建築とかで、そういうばらばらに存在してるものの間にある一個の。石が間に一つあれば関係性は見えるので。そのへんで見つけた石でも石を見失わなければ、相手がそこにいなくても相手を見つけられる戻ってこられる。お互い詩人じゃないから、その間にある石はちゃんとした詩じゃないんですけど、その石を音符とか人とか道とか壁みたいなものだとお互いがそれぞれの専門性の中で別々の誤解をすれば、相手とのリンクは切れないでアンバランスなバランスを保てるんだというか。そういう石とか言葉とかを別の誰かとそれぞれ配置しながら、作品という奇妙なオブジェみたいなものをなんとか成立させるのが演出家なんでしょうね。形としてはとうか実際には観客の前に現れないオブジェだけど、そのヤジロベーの複雑系みたいなオブジェを組み上げて行くのが打合せなんだと思います。(目に見えないオブジェを示す。)僕、詩人とはまだ作ったことないんですけど。やりたいですけどね。詩人の人とはこのやり方で打ち合わせができるのかなと思いますけど。物語より文体ですから。でも詩を手がかりに詩の打ち合わせってできなさそうというか、演劇で演劇を作っても、焼き増ししてるだけじゃないですか。まあ大抵はそうなんですけど。うー別にコラージュとか、それこそオブジェって言ったっていいんですけど、じゃあ全体は一編の詩になってるのかとか、詩って本当にそういうものなんですかと言われるとよくわからないですけど。なんか不当にミステリアスなものとして扱われますよね。詩って。

コーヒーはもう冷めている。演出家は鼻から長く息を吸って吐き、少し沈黙したのち中腰になって、また座る。

演出家　本当は全然ミステリアスじゃないんでしょうけど。何かを「演劇的だ」って言ったって、それってただ「大袈裟で馬鹿みたいだ」って言ってるだけですからね。詩、詩。詩か。詩も勝手言われますけど、ジャンルが古いとどれも同じかな。

長い間。

演出家　そうだなあ。今までもちろん全然上手くいかないこともあったし、実は言葉を見つけるのが上手く行きすぎると後から作るものが湿気たりするような気もします。だから美しい誤解というか、触れてる面積が多すぎない、つむじと耳の間くらいの頭の後ろで感じる距離感が。ただ相手の考えていることがわかってしまうような話ができると、そのあとのことはさておき喜びを感じますよね。私だけが喜んでるような気がしますけど。ボルヘスとか賢治を読んだ時の、ああこれは蜜の香りがするけど演劇にしようとすると絶対に失敗するんだろうなという魔術的な予感に似ている。だから上手く行ったというか、私の中に残っている打ち合わせの話をします。上手く行ったかは別として。全然ダメということはないですけどね。兎に角、残っているということは私が観客になってしまった時のことかもしれないですけど、幾つかお話しします。

演出家はジャグラーがボールを宙に投げず片手でくゆらすように、脳漿がこぼれないくらいの角度で首を回しながら、ふらふら動き回っている。舞台上から短い間いなくなって、また戻ってきても良い。その行為たちには思わせぶりなところはなく、意味がないことが観客に伝わらなければいけない。十分に伝わった後、深呼吸を幾つかする暇が観客に与えられたら、演出家は舞台正面をまっすぐ向くものとする。短い休憩を宣言しても良いが、幕を下ろしてはいけないし、演出家は休憩の間も舞台上をうろついていなければならない。【続く】

テレアポ代行という仕事について(1)

メディチ後藤スカイ

私は舞台役者をしながら、普段はコールセンターでアルバイトをしている。コールセンターと聞くと「クレーム対応でしんどいというアレか」と思われるかもしれないが、私が勤めているところではお客様からのクレームは受け付けない。というか電話に出ることもない。こちら側から電話をかけるのだ。しかも個人ではなく企業に対して。私の勤め先は「営業代行」会社のコールセンターである。

2022年の5月の終わり頃、すでにこのコールセンターに勤めていた大学の後輩から紹介を受けた。そのときの私は、企業からの内定を得られないまま3月に大学院を出て、そのまま就活を続けて何とかして文系SEになるか、それとも演劇の道に進むかで迷っていたところだった。

ある日、その後輩に「今すぐ就活をやめて役者を目指せ」と延々説かれた。後輩も広義の「芸人」仲間であり、コールセンターで資金を稼ぎながら芸能活動に勤しんでいた。その彼（およびその場に居合わせた小説家志望、漫画家志望、研究者志望など、一般的な「社会人」にはならないだろう者たち）と夜明けまで討論を重ね、私の進路は概ね決まってしまった。

その年の6月からこの営業代行会社「S社」で働き始めた。もう10ヶ月ほど続けており、芝居の稽古が無い期間はだいたい週に4日か5日、朝の10時から18時までのシフトで入っている。時給は1200円。正直なところ、生活はかなり苦しい。もっと時給の高いところに転職してもいいとはずっと思っている。

しかし、このコールセンターにも勤め続けるメリットは確かにあって、それはシフトの融通性である。

ここには私のような芸能関係者が多く勤めている。たとえば俳優、声優、放送作家、ミュージシャン、グラビアアイドルなど。こうした者たちは翌日にいきなりオーディションの予定が入るとか、明日の仕事がキャンセルになるとかいったことがザラである。このコールセンターはその辺りをよく理解してくれており、「明日休みます」と言ってもそのまま要望が通るのである。だから時給は低いが手放し難い。

企業向けの営業、いわゆるBtoB営業についてはあまり説明は要らないかもしれないが、一応ちゃんと記すことにする。

たとえばAという会社があって、新規の取引先を欲したとする。自分たちのサービス・商品を買ってくれる相手が欲しい。ではどうするか。相手のところにアポイント無しで直接出向いて、自分たちはこういう者でこういうサービスを展開してます云々と話してもいい。だが、いきなり自分の陣地にやってきた人間の話など、だいたいの人は聞こうとはしないだろうし困るばかりであろう。受付で突っぱねられてお終いである。

そこで、事前に電話でアポイントを取ってから伺うことにする。はじめまして、私こういう者でして、手前どものサービスはこれこれこうで、こういう形で御社の役に立つであろうから、ぜひ一度詳細を説明したい、少しお時間をいただきたいのだが後日どこかご都合のよろしいときはないですか……と。これが「テレアポ」である。そしてS社はテレアポの代行を生業としているのである。

まずA社が新規開拓を狙ってテレアポを行おうとする。だがテレアポは面倒な業務であり、まぁまぁコストがかかる。そこでS社のようなテレアポ代行会社に依頼をする。

S社は、A社が売り込もうとしているサービスを把握し、そのサービスのターゲットとなる業界の企業をリストアップする。そして、そのリスト上の企業に片っ端から電話をかける。このとき、S社は自らがS社であることを明かさない。私は本来は「S社に勤めるメディチ後藤スカイ」だが、電話をする際は「A社の田中」を名乗る。私は「A社の田中」としてA社のサービスについて簡単に紹介する。そして「一度サービスの詳細について、弊社の専任担当の者からご説明さしあげたい、来週の火曜日の14時ごろなどお時間いかがですか?」

とお願いする。

相手からOKをもらったら、メールアドレスなど連絡先をもらい、更にその場で諸々ヒアリングを行う。御社はこういうサービスについて既にご存知でしたか？過去に検討されたことはありますか？などと。そして電話を終えると、会話の内容を報告書に記す。そこでA社にバトンタッチする。A社の担当が報告書をもとに色々戦略を練って、当日の商談に臨む、あとはA社さん頑張ってくださいね……と。これが一通りの流れである。

S社は、この商談が実際に行われたときにA社から報酬を受け取る。アポイントを取った時点では報酬は発生しない。向こうがドタキャンなどした場合、報酬は無しである。ただし、商談を経てA社のサービスが売れたかどうかはS社の報酬には（あまり）関係がない。それはA社の営業マンの責任であるからだ。つまりS社としては、合コンのセッティングだけ行なって、その手間賃をいただくのである。マッチングできるかどうかは参加者である貴方次第よ……ということだ。

アポイント1件ごとの報酬は様々である。安いものだと15000円、高いものだと50000

円など。価格は、クライアントの懐事情や、そのサービスを売り込む難易度（導入費用が高価だと当然難易度は上がる）によって変化する。

以上がS社の主な事業内容である。こうしたビジネスがこの世にあることを読者の方はご存知だったろうか。私は、普段どうやって食い扶持を稼いでいるのか心配されることが多い身の上なので、これこれこういう会社でバイトをしているよ、と知人に説明しなくてはいけない場面がよくあるのだが、皆たいてい「へぇ？そういうのがあるのか」という顔をする。だが、皆が勤めているような一般企業にも営業部はもちろん設置されているはずで、新規取引先獲得のためにテレアポを代行会社に依頼することがあるかもしれない。こうした営業活動を部分的に外注することは今日では珍しくはない。あらゆる業務のアウトソーシングが進んでいる昨今、営業代行の業界はそこそこ盛り上がっているようで、S社の競合もちょろちょろ存在するらしい。

さて、この（1）では、テレアポ代行というビジネスの概要を述べた。次回の（2）では、私がこの仕事をしていて感じることをもう少し詳細に書こうと思う。だが、そんな複数回に分けてわざわざ記すほどの複雑な想いがあるわけではない。私の態度は概ね決まっている。すなわち、このテレアポ代行は私にとっては「賎業」である、ということだ。

【『テレアポ代行という仕事について(2)』に続く】

ある詩人の回想　ｉ

H・H

神さまは助けて下さる。もうだめで、疲れきって、ぐったりとうなだれて、もういよいよというとき。目にうつるものが、遠のいていく中で、すがるように、小さな口がそれでも、かみ、さまと音もなくつぶやくとき。神さまは、助けて下さる。

彼は、鉛筆でそんな散文を、さら、さら、さらとしたためたあとで、その左端にちいさく「街」と題して、ぱたりのその真新しい詩手帳を、閉じた。その二つおりの真っ白な紙の反射は、まるで春の日のひかりを一息に吸いこむという風であった。

春色のちょうちょうが春色のきゃべつのうえ

ほんの二歩、三歩ゆくと、彼は表紙もまだ固い、手ひらほどのその新しい詩手帳をまた広げて、またそんな文句を鉛筆で、さら、さら、さらと書き付けた。わずかに擦り減らされた鉛の粒子さえ、銀色にかがやく様子を私は確認した。

それから彼はベンチに座ると、力なく両の手足をぶらぶらとさせていた。

さあ、こんな書き出しを読めば、読者の皆さま方も、この彼が尋常な状態ではないことと、お思いになるでしょう。もしこんな人物がいたならば、われわれは、遠くから心配のまなざしを向けて速足で過ぎて行くに違いない。

彼の喪失。そして失踪者としての彼。それはもう弱々しい言葉の数々でしか、繋ぎめられていないのである。——彼は一冊の詩手帳を、失くしたのであった。そうしてまた彼自身も、どこかに消えてしまったのであった。

しかし私には、彼の友人の一人として、彼の残した言葉の数々を世に伝える義務があるのである。それればかりではない。彼は、疾走する前に、その他多くのノートや詩手帳を、この私に託したのであった。いわば私は、彼の唯一の友であり、唯一の編集者なのである。

日々に関するもの、散歩に関するもの、書くことに関するもの、弱者に関するもの、彼曰く、ちいさな神さまに関するもの、それらが隅々までみっちりと書き尽くされた彼の詩手帳——彼は、その詩手帳のうちの一冊を失くしたのである。それだけで彼は、ほとんど阿呆のようになってしまって、とうとう私の前からも消えたのであった。

試みに、彼の残した幾つかのノートから、「このひとたちのために」と題された章をここに引用してみようと思う。——ハインリッヒ・ハイネ、ヘルマン・ヘッセ、ローベルト・ヴァルザー、ゲオルク・トラークル、ヴォルフガンク・ボルヒェルト、芥川龍之介、萩原朔太郎、梶井基次郎、生田春月、八木重吉、尾形亀之助、小山清、草野心平、田中冬二——

それらの名前が丁寧に、書きつけられているのであった。この名前の羅列を見れば、彼がどのような精神の人物かを、ある程度は推測できるだろうと思う。

春は、喪失の季節である。——彼は、そう言い残して、行ってしまった。すべて失くしてしまった。記録は、もどってくるのだろうか。——そうも言っていた。

実際、彼は詩集の出版を夢見ていた。それも長年の計画であった。しかし時間は、まるで鳥の影のように過ぎて行った。

読者にたのもう。もし、彼の詩手帳を拾われた方がいたならば、お知らせ願いたい。また、彼のことをどこかで発見された場合には、いち早く×××-××××-××番◯◯方まで、ご一報願いたい。

彼と最後に会ったのは、春のT公園である。彼は、W・S・ハンペルマンである、と名乗っていた。右半身は、スイスの小詩人、左半身は日本の忘れられた小詩人。春風を冠に乗せた、われはハンペルマン——そう言っていた。私はそれを聞いて、いよいよ彼の精神の尋常ならざることを察した。

いかにも翻訳文学愛好者好みの名をつけて、藁をもすがる、ハンペルマン。彼はこの今も、その自称をつぶやきながら、どこかの街を彷徨っているに違いない。情報を、求む。

彼の目の前にいま救いの紐がたれていたら、彼は間違いなく、迷いなくその紐にすがることだろう。彼の手足はそのために動かされるだろう。まるで子どもまがいの玩具のように。彼には詩がなければ、世界は緑色にすらならないのだ。


さて読者の皆さま方。もし彼の消息を知っておられる方には、お教え願いたい。彼はいま、どこにいるのか。生きているのだろうか。そうして彼はまだ今も、詩を書いているのだろうか。

私には、この詩誌の場を借りて、彼の書いた詩を紹介することしかできないが、それでも彼の発見の手がかりになるのだとすれば、喜んでその編集の役を引き受けようと思う。

よって次号から、私はここで自選した彼の詩を紹介していくことになる。

『新訳　ラルボファル詩集』より　晩年詩篇

訳・Garou Seto

勤しみ深く人びとは……

勤しみ深く人びとは
余した生を償える
日毎日毎の明け暮れに
尚もつましく営める
ある人は父を思い
ある人は母を思い
そしてまたある人は

若き日の世話人を思い
先達の先立って行く道の
その道の轍を踏み
頭を垂れて報い路の
自省の念に追い駆られ
誰に教わる訳もなく
余した生を償える
余した生を償える

されども人は祈るらし

悲しき過去のある人は
あとは怯えに生きめやも
負い目に身をもすりへらし
気をも小さくなりめやも

されども人は祈るらし
許さることを祈るらし
日々に手を組み膝を折り
許さることを祈るらし

孤独者の肖像

後ろ手に幾日もの
雪の日を背負いて
俯きながら歩きゆかん
闇には寒さを
途方もなく
ただただ耐え
降りつもる日数に
足跡をもかき消されん
されども歩きゆかん

雪の日の夜道を
やれ果てた襤褸の包みに
孤独者の肖像を抱えゆかん

人よ……

人よ、人が天を仰いで
歓喜する姿を、忘るなよ

そして人よ――胸を叩け
それはいつにおいても、いかなるものよりも
大きく高く鳴る楽器だ

はかなき身の上になりけり……

はかなき身の上になりけり
せつなき身の上になりけり
われ、いま、この朝に
か細き藁の盃に、成り果てんとす

人生の苦しき美酒、その味
咽喉より発生して、酔気を伴い
五臓まで染み渡らんとす

瑪瑙の、夢、さらば、さらば

璞（あらたま）文庫　はじめに

近代文学叢書を組みたいと思ったのは、もっと言うと、語彙のアンソロジーのようなものの編みたいと計画したのは、数年前のことである。本誌の出版元である早稲田の虹色社と知り合い、一緒に本づくりの仕事をするようになって、思いついた案の一つであった。

それは、実現すれば、個性的な叢書だと思う。詩、散文、随筆、小説、評論。様々な角度から、題材や比喩、言語表現など、用法を問わず採録する。

それは本来、「落語服飾叢書」としてイメージしていたものであった。扇子、懐、襟留、帯、雪駄、などなど。それらの語彙の近代文学の中から採録してコレクションすれば、日本語と文化の横顔ようなものが見えるのではないだろうかと思ったのであった。実際に、そういう表現を集めていたこともある。

そしてもう少し語彙の幅を広げて、まず構想したのは、左のよう計画であった。

第一回　配本　鉱物　「琥珀」「翡翠」「瑠璃」

（第二回　服飾「帯」「襟」「浴衣」……「手拭」「扇子」「煙管」など）
（第三回　酒類「麦酒」「葡萄酒」「焼酎」……「千鳥足」「猪口」「肴」など）
（第四回　伝統色「浅葱」「蘇芳」「銀鼠」……「茜色」「鶸色」「鶯色」など）
（第五回　魚介「金魚」「珊瑚」「海月」……「鰯」「鯉」「鮪」など）
（第六回　模様「縞」「市松」「籠目」……「七宝」「小紋」「麻の葉」など）

文庫・シリーズ名　候補　↓　文学表現の可能性を探り当てるイメージ
（鉱脈、採掘、標本、色硝子、刺繍、庭園……）

（候補）言葉の鉱床学／璞文庫／あらたま文庫／勾玉群書／琥珀採集／語彙標本

このような大風呂敷を広げてはみたが、もちろん、すぐに実現できるわけはない。アイデアだけが、宙に浮いたまま残ってしまったのであった。

しかし、アイデアの質としては、われながら、なかなか魅力がある構想だとは思っていた。よってこのたび、この『詩誌　天窓』の誌面を借りて、その一部分でも集めてみようと思った次第である。寄稿者のご協力も借りながら。今のところ、本号にも寄稿してくれた大岡氏が興味を持ってくれている。

叢書名としては、「璞文庫」を採用した。「あらたま」という響きが好きだったので、これには個人的な趣味が大いにある。

このシリーズが実現するのかは、わからない。しかし、空想の着想に終わってしまったとしても、その片鱗はこの誌面に残ると思う。そして空想家の私は、その文庫の序文の一部まで、当初の企画書に書いてしまっていたのである。次に引用する。

璞文庫　創刊に寄せて

あらたまの年立ちかへる朝より待たるるものはうぐひすの声　　素性

年号が令和に改まって三年が経つ。

「あらたまの」とは、年、月、昼、春などにかかる枕詞である。われわれもこの言霊にあやかって、令和の春に相応しい掛詞を呼び起こす事を期待する。

「璞」とは、粗玉、もしくは荒玉とも書き、採掘されたままで未だ磨かれていない玉石の事を云う言葉である。時代の文学が巡回したその跡地から、未だ眠っている言葉の鉱床を掘り当て標本のように並べてみることで、宝石以前の再発見の光が得られることをまたわれわれは期待する。

待たるるものはうぐひすの声——そうしてそれらが謂れある表現の新しい風物となり囀る程度にも秀麗に聞こえはじめることを期待する。


あらたまの令和三年春。語彙の鉱脈を探す旅に、いざ。

この序文が日の目を浴びることを期待しながら、まずはここで連載のような形で、毎号別の語彙を取り上げていこうと思う。
今回は準備が間に合わなかったこともあり、概要を掲載。次号は、「琥珀」の予定。

さやかなる夏の衣して
ひろびとは汽車を待てども
疾みはてしわれはさびしく
琥珀もて客を待つめり

——宮沢賢治「八戸」より

例えば、このように詩や散文の一節を集めてみたいと思うのである。この賢治の詩は、比喩的な表現ではないけれども、「琥珀」という語彙に注目すると、それは光を集めているように感じる。青森の駅舎だろうか。彼は、琥珀を握りしめているのか。あるいはそれは路上に並べられたものなのか。それは売り物か。はたまた、自らの病を慰めるものか。——この一部分からは読解できないが、それでもこんな文章を集めてみることによって、近代文学の「琥珀」たちが、語彙としての可能性の光を反射しあって、そこに新しい意味が発見せられるとも思うのである。

過去に散らばったそれら宝石を、「璞文庫」の名のもとにお手製宝石箱に集めてみること。それは決して趣味的な意味だけでもないだろう。そのいくつかは握りしめられながら、あるいは人目につかない道端の露店にさらせれながら、待っている。光を秘めながら、固まっている。(S)

窓の文学史

窓　ボードレール

富永太郎訳

開いた窓の外からのぞき込む人は決して閉ざされた窓を眺める人ほど多くのものを見るものではない。蝋燭の火に照らされた窓にもまして深い、神秘的な、豊かな、陰鬱な、人の眼を奪ふやうなものがまたとあらうか。日光の下で人が見ることの出来るものは、窓ガラスの内側で行はれることに比べれば常に興味の少ないものである。此の黒い、もしくは明るい空の中で、生命が生活し、生命が夢み、生命が悩むのである。

波のやうに起伏した屋根の向ふに一人の女が見える。盛りをすぎて既に皺のよつた、貧しい女である。いつも何かに寄りかゝつてゐて、決して外へ出掛けることがない。私は此の女の顔から、衣物から、挙動から、いや殆んど何からといふことはなく、此の女の身の上話を――といふよりは、むしろ伝説を造り上げてしまつた、そして私は時々涙を流しながら、この話を自分に話して聞かせるのである。

これが若し憐れな年とつた男であつたとしても、私は全く同じ位容易に彼の伝説を造りあげたであらう。

それから私は他人の身になつて生活し、苦しんだことを誇りに思ひながら床に就くのである。

諸君はかう云ふかも知れない、「その話しが事実だといふことは確かゝね?」私の外にある真実がどんなものであらうと何の関りがあるものか――若しそれが、私が生活する助けとなり、私が自分の存在してゐることと、自分が何であるかといふことを感ずる助けとなつたものならば。

窓

ライネル・マリア・リルケ　Rainer Maria Rilke

堀辰雄訳

I

バルコンの上だとか、
窓枠のなかに、
一人の女がためらつてさへゐれば好い……
目のあたりに見ながらそれを失はなければならぬ

失意の人間に私達がさせられるには。

が、その女が髪を結はうとして、その腕を
やさしい花瓶のやうに、もち上げでもしたら、
どんなにか、それを目に入れただけでも、
私達の失意は一瞬にして力づけられ、
私達の不幸は赫(かがや)くことだらう！

Ⅱ

お前は、不思議な窓よ、私に待つてゐてくれと合圖してゐる、
既にもうお前の鼠色の窓掛けは動きかけてゐる。
おお窓よ、私はお前の招待に應じなければならないだらうか？

それとも拒絶すべきだらうか、窓よ？　私の待つてゐるのは誰だ？

私はもう無縁ではないのではないか、この耳をそば立ててゐる生命に對して？
この戀を失つた女の充溢した心に對して？
私にはなほ行くべき道があるのに、かうして私を此處に引き止めながら、
私に夢みさせてゐる、かの女の心の過剩を、窓よ、お前は私に與へることが出來るのだらうか？

Ⅲ

お前はわれわれの幾何學ではないのか？
窓よ、われわれの大きな人生を
雜作もなく區限（くぎ）つてゐる

いとも簡單な圖形。

お前の額縁のなかに、われわれの戀人が
姿を現はすのを見るときくらゐ、
かの女の美しく思はれることはない。おお窓よ、
お前はかの女の姿を殆ど永遠のものにする。

此處にはどんな偶然も入り込めない。
戀人は自分の戀の眞只中にゐる。
自分のものになり切つた
ささやかな空間に取り圍まれながら。

Ⅳ

窓よ、お前は期待の計量器だ。
一つの生命が他の生命の方へ
氣短かに自分を注がうとして
何遍それを一ぱいにさせたことか！

まるで移り氣な海のやうに
引き離したり、引き寄せたりするお前、——
かと思ふと、お前はその硝子に映る私達の姿を
その向う側に見えるものと混んぐらかせたりする。

運命の存在と妥協する

或種の自由の標本。
お前に調節されて、外部の過剰も、
われわれの内部では平衡する。

V

窓よ、お前は、どんなものでも
何んと儀式めかしてしまふのだらう！
お前の窓枠の中では、人は直立不動になつて
何かを待つたり、物思ひにふけつたりする。

そんな風に、放心者（うつけもの）だの、怠け者だのを、
お前はよくお小姓のやうに立たせてゐる。

彼はいつも同じやうな姿勢をしてゐる。
彼は自分の肖像畫みたいになつてゐる。

漠とした倦怠にうち沈みながら、
少年が窓に凭れて、ぼんやりしてゐることがある。
少年は夢みてゐる。さうして彼の上衣を汚してゐるのは、
少年自身ではなくて、それは過ぎゆく時間なのだ。

又、戀する少女たちが、窓に倚つてゐることもある。
身じろがずに、いかにも脆さうに、
あたかもその翅の美しいために、
貼りつけられてゐる蝶のやうに。

Ⅵ

部屋の奥、寝臺のあたりには、そこはかとない薄明しか漂はせてゐなかつた
星形の窓は、いまや貪婪な窓と交代して、
飽くことなく日光を求めてゐる。
ああ、誰れか窓に走り寄り、それに凭れかかつて、ぢつとしてゐる。
夜の去つた跡で、こんどはその神聖なみづみづしい若さの番が來たのだ！

その戀する少女の眺めてゐる朝の空には、
青空そのもの――あの大いなる模範、
深さと高さと――それ以外にはなんにもない。
その空の一部を圓舞臺にして、
ゆるやかな曲線を描いて飛び交ひながら

愛の復歸を告げ知らせてゐる鳩たちを除いては。
(朝の空)

Ⅶ

私達の區限られた部屋に、
闇が絶えず増大させる
未知の擴がりを與へるやうにと、
屢々工夫せられた窓。

昔、その傍らにいつも坐つて、
一人の婦人が、俯向いたまま、
身じろぎもせず、物靜かな樣子で、

縫ひ物をしつづけてゐた窓。

明るい壔の中に嚥みこまれたまま、
そのなかで或像（すがた）の芽ばえてゐる窓。
われわれの廣漠たる眼界の
帶を結んでゐる環。

Ⅷ

かの女は窓に凭れたまま、
何もかも任せ切つたやうな氣もちで、
うつとりと、心を張りつめて、

夢中で何時間も過すのだ。

獵犬たちが横はるとき
その前肢を揃へるやうに、
かの女の夢の本能が
不意と襲つて、そのしなやかな手を、

氣もちのいい具合に竝べてくれる。
その餘のものはそれに準つて落着くのだ。
さうしてしまふと、その腕も、胸も、肩も、
かの女自身も言はない、「もう飽いた」と。

IX

忍び泣いてゐる、ああ、忍び泣いてゐる、
あの誰も凭れてゐない窓！
慰みやうもなく、涙に咽（むせ）んでゐる、
あの被覆（おほひ）をせられたもの！

遅過ぎてからか、それとも早過ぎないと、
お前の姿ははつきりと掴めない。
いまは全くその姿を包んでゐるお前の窓掛け、
おお、空虚の衣！

X

最後の日の窓に身を傾けてゐた
お前の姿を目のあたりに見ながらだつた、
私がわが身の深淵を隈なく知つて、
それをはじめてわが物となしたのは。

お前はその腕を闇の方へ向けて
私にそれを振つて見せながら、
私がお前から切り離して自分と一しよに持つて來たものを
私から更に切り離して、逃げて行つてしまはせた……

お前のその別離の手振りは、
永い別離の印なのではなかつただらうか?
遂には私が風に變身せしめられ、

水となつて川に注がれてしまふ日までの……

仏独の大詩人それぞれの「窓」を取り上げた。彼らはその「窓」から何を見たのか。「窓」というものを詩でどう切り取ったのか。それは「窓の文学史」の初回としては相応しい。両訳者にも注目したい。富永太郎と堀辰雄。翻訳という名の、それもひとつの「窓」。

※青空文庫から引用

ボードレール「窓」

底本：「富永太郎詩集」現代詩文庫、思潮社
　1975（昭和50）年7月10日初版第1刷
　1984（昭和59）年10月1日第6刷
底本の親本：「定本富永太郎詩集」中央公論社
　1971（昭和46）年1月

リルケ「窓」
底本：「堀辰雄作品集第五巻」筑摩書房
　1982（昭和57）年9月30日初版第1刷発行
初出：「晩夏」甲鳥書林
　1941（昭和16）年9月20日

『春月詩文集』より

略伝

明治二十五年三月十六日、鳥取県米子市道笑町に生る。十三歳のとき、試作をはじむ。明治三十七年、破産せる一家と共に、朝鮮に赴く。爾来、貧困と労働の中に試作し、「文庫」「新聲」「文章世界」「葉書文学」等に投稿す。

明治四十一年、十七歳のとき上京。当時最も木下尚江に傾倒す。この唯心論、宗教的傾向は、現在なほ全く脱却しえざるところなり。其後、受けたる感化の最も大なるものは、大杉栄によつてのアナキズム、生田長江によつてのニイチエ、辻潤によつてのスティルネル、中村詳一によつての禅等にして、これらはインディヴィジュアル・アナキズムの根本思想を形成するに与つて力あるものなりき。

詩作に於ては、同傾向の伴侶なくして今日に至れり。明治四十三四年頃より、「帝国文学」「東亜の光」「新潮」等に発表せし外、別に一詩派に属する事なかりき。大正十年以降、雑誌「詩と人生」を主宰せしも、十三年、思ふところありて廃刊す。

詩集には「霊魂の秋」「感傷の春」「春月小曲集」「慰めの国」「澄める青空」「麻の葉」「夢心地」「春の序曲」「物思ひ」「自然の恵み」あり。のちこれを集成して、「春月詩集」「抒情小曲集」の二巻を編む。訳詩には「ハイネ全詩集」「ゲエテ詩集」及び「私の花輪」あり。其他、感想集「片隅の幸福」「真実に生くる悩み」「智慧に輝く愛」「旅ゆく一人」「草上静思」「影は夢みる」詩話「詩魂礼賛」「静夜詩話」「詩の作り方」論集「山家文学論集」「虚無思想の研究」長編小説「相寄る魂」等の著あり。

（彼自身による自伝）

たとへつたなき
うたなりとも
まことだにあらば
ひとはうごく
いつはるものは
ぐとやいはん
われはこのをもひ
しるすばかり

——自筆処女詩集「春月詩集」の序詩（標題なし）

海図

甲板にかゝっている海図——それはこの内海の海図だ——ぢつとそれを見てゐると、一つの新しい、未知の世界が見えて来る。

普通の地図では、海が空白だが、これでは陸地の方が空白だ。ただわづかに高山の頂きが記されてゐる位なものであるが、これに反して、海の方は水深やその他の記号などで彩られてゐる。

これが今の自分の心持をそつくり現してゐるやうな気がする。今迄の世界が空白となつて、自分の飛び込む未知の世界が、彩られるのだ。

（遺稿詩）

参考文献

『生田春月全集』全十三巻 本郷出版社 昭和五十六年
『生田春月読本』二十日会同人編 油屋書房 昭和四十八年
上田京子『生田春月への旅』今井出版 平成二十五年

主宰者あとがき

本誌「天窓」は、「詩、あるいは、それにまつわる多くの表現」の同人誌として、私が数年前から企画していたものです。年月が過ぎてしまいましたが、このたび、ようやく第一冊めの上梓に至りました。

それぞれの生活の中で、埋もれながらも、詩と個性を発表できる場所として、あるいは、表現したいひとが、表現したいものを、表現できる場所として、天窓から光が洩れてくるような場所をつくりたいと思ったのが、はじまりです。

もともとは、大学時代の友人である冨所亮介氏にも相談し、一緒に構想を進めておりましたが、お互いの多忙と私の怠慢のために一度頓挫。よって今回は、私が主体で編集・デザイン等を担当しました。しかし、冨所氏の助言とアイデアがなければ、本誌は完成に至りませんでした。ここで改めて御礼申します。次号では、冨所氏の作品も頂けたら幸い。

そういえば氏は、私がむかし出していた「新奇蹟」という貧しい文芸誌の終刊号に、「フェイドアウト」という詩を寄稿してくれました。その詩をふと思い出し、再読した夕べ――とおく褪めやらぬ幼い部屋のなかで／しずかに死を圧す　かたわらの風もとまり／ねむりの夢は珈琲色の影絵に――うつくしい一節です。

その詩の冒頭――終わりを迎えるためには信じていなければならない――という言葉を、いまこそ、私は信じたいと思ってます。「新奇蹟」は終刊して久しいですが、今回この「天窓」においても、当時の同人が数人寄稿してくれました。私はやはり、このような同人文芸誌としての小さな文学表現を、信じてみたい一人なのです。

冨所氏とは、小磯洋光氏、中村たかね氏とともに、新宿で飲んだのが最後。また会いましょう。まずはこちら書面にて、完成の挨拶。

今回は、誌面を増やす都合上、自作の原稿が多くなってしまいました。次回から、もう少し裾野を広げたいと思っています。また自作は昔に書いたもので、やや暗めの内容が多いですが、現在の精神状況とは異なりますので、ご心配なきよう。

「春月詩文集」は、私が昔から私淑している生田春月のため。忘れられた詩人となっていますが、いつか詩文集を出したいと、日頃から夢見ています。今回は、十代の作品から彼の詩の心をじゅうぶんに表している作品と、小豆島に「海の詩碑」として文学碑にも刻まれている遺作を掲載。次回も自選した詩を幾つか載せたいと思います。

レイアウトですが、数字など、あえて横書きの仕様にしているものがございます。それはその方が、独自の文章の味わいが出ると感じたからです。

今回ご寄稿くださいましたみなさまに、ご感謝申し上げます。

編集していながら、どの作品にも、それぞれの個性としての「詩性と人間」を感じ、全体の均衡も非常に良く、思い入れのある一冊となりました。これに懲りず、またご寄稿お願い致します。

何よりこうして同人として活動できるご縁が、おもしろい。思い返せば、ふと知り合いになった方ばかりです。

最後に、ともにこの手づくりの「天窓」を施工してくださいました虹色社と山口和男氏に、厚く御礼申し上げます。時間はかかるかもしれませんが、この「天窓」から少しずつ洩れる光を、どうぞ信じてみてください。今後とも宜しくお願い致します。

主宰　齋藤

二〇二三年秋、次号発行ノ予定。

新規原稿等、引キ続キ、募集ス。

言葉ト光ノ、海底通信ヲスル。

詩ト、生活ヲ、見上ゲル。

詩誌　天窓

告知

「詩誌天窓」提携双紙

黄金郷時代

— 令和五年・夏 —

新宿ゴォルデン街へ行け
若し君が、黄金を求めるならば

〈暗号的〉配布場所
新宿黄金街三番町半ば路地曲がる赤扉上がる二階のバー

詩誌　天窓 01

2023 年 5 月 4 日　第一刷

天窓編集室

編集／組版　　齋藤圭介
編集補佐　　大岡和摩
製本等補佐　　山上泰輝
助言　　冨所亮介

発行者　山口和男
発行／印刷／製本　虹色社
〒 169-0071
新宿区戸塚町 1-102-5　江原ビル 1 階
電話　03(6302)1240

ISBN 978-4-909045-60-7
Printed in Japan